AF586246

LA RÉFORME DU CERTIFICAT D'ÉTUDES

Arrêté ministériel du 29 décembre 1891.

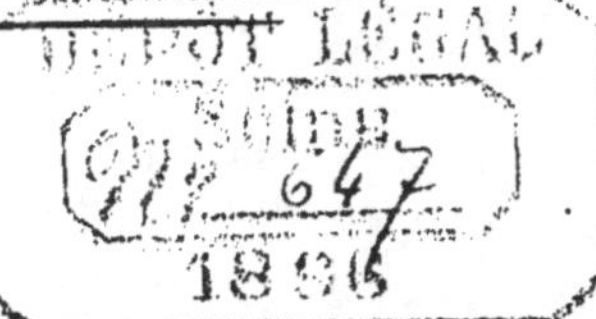

L'ANNÉE DU CERTIFICAT D'ÉTUDES

PUBLIÉS SOUS LA DIRECTION DE

CHARLES DUPUY

Agrégé de l'Université, Ancien inspecteur d'Académie, Vice-recteur honoraire, Ancien ministre de l'Instruction publique, Député de la Haute-Loire.

LIVRET d'Anti-alcoolisme

Par le Dr GALTIER-BOISSIÈRE

Officier de l'Instruction publique.

QUESTIONS — RÉSUMÉS — SUJETS DE RÉDACTION

L'Opuscule du Maitre.............	» 30
Tableau mural d'anti-alcoolisme..	6 30

ARMAND COLIN ET Cie, ÉDITEURS

5, RUE DE MÉZIÈRES, PARIS

1896

AVIS

L'Arrêté ministériel du 29 décembre 1891 a modifié l'épreuve de la rédaction exigée des candidats au Certificat d'études primaires. Le sujet de la rédaction, au lieu d'être, comme précédemment, un récit, une lettre, etc., sera choisi par l'Inspecteur d'Académie parmi les matières suivantes : instruction morale, instruction civique, histoire, géographie, notions élémentaires de sciences avec leurs applications à l'agriculture et à l'hygiène.

Pour aider maîtres et élèves à répondre aux exigences de l'Arrêté ministériel, nous leur offrons, sous le nom de « livrets », des répertoires qui faciliteront la revision des matières énumérées ci-dessus ainsi que des autres matières obligatoires de l'Enseignement primaire.

L'enfant qui possédera le contenu de nos « livrets » ne risquera pas de rester court dans l'épreuve de la rédaction : il aura à sa disposition les idées et, au besoin, les termes propres à le guider et à le soutenir. Il sera d'ailleurs déjà préparé et muni par l'étude des manuels spéciaux que nous ne prétendons pas remplacer, mais dont nous voulons seulement faciliter la récapitulation[1].

Chaque « livret », à peu d'exceptions près, comprend un questionnaire, des résumés et des sujets ou sommaires de rédaction dont l'Opuscule du Maître présentera le développement.

Nous avons fait la part de la mémoire et du jugement : le questionnaire aidera la première, les résumés et les sommaires exerceront le second.

Des tableaux muraux complètent nos « livrets ». Ces tableaux placeront sous les yeux des enfants les idées et les termes essentiels dans lesquels se résument les matières visées par l'Arrêté ministériel.

CHARLES DUPUY.

1. *Même librairie.* GALTIER-BOISSIÈRE. — **Notions élémentaires d'hygiène pratique** (295 figures, 8 planches coloriées). **4 fr.**

Arrêté ministériel du 29 décembre 1891.

Le § 3 de l'Arrêté du 18 janvier 1887 (rédaction d'un genre simple) est complété comme suit :

« ... Une **rédaction** d'un genre simple portant, suivant un choix à faire par l'Inspecteur d'Académie, sur l'un des trois objets ci-dessous :

1° L'**Instruction morale** ou **civique** ;

2° L'**Histoire** et la **Géographie** ;

3° Des **Notions élémentaires de sciences** avec leurs applications à l'**Agriculture** et à l'**Hygiène**. »

LIVRET D'ANTI-ALCOOLISME

Application à l'Hygiène

DES NOTIONS ÉLÉMENTAIRES DE SCIENCES

« *Au professeur Lannelongue*[1]. »

I. — CE QUE C'EST QUE L'ALCOOLISME

1. A quoi conduit l'*ivrognerie?*

L'ivrognerie conduit à l'**alcoolisme.**

2. Qu'est-ce que l'*alcoolisme?*

L'alcoolisme est une **maladie** qui **affaiblit** notre organisme, **diminue** nos facultés et **abrège** la vie.

3. Pourquoi?

Parce que, chez l'alcoolique, le *sang* est **empoisonné**. Par suite, tous les *organes* sont **altérés**, c'est-à-dire **détériorés.**

4. Comment *devient-on* alcoolique?

On devient alcoolique :

1° En **s'enivrant** fréquemment;

2° En buvant des liqueurs fortes **tous les jours.**

1. Le professeur Lannelongue, à qui cet opuscule est dédié, a prononcé un discours très important sur l'alcoolisme à la Chambre des Députés, en juin 1895.

5. Ainsi ce ne sont pas seulement ceux qui s'enivrent souvent qui deviennent alcooliques?

Non. Des personnes qui ne se sont *jamais enivrées* peuvent devenir **alcooliques.**

6. Quelles sont donc ces personnes-là?

Ce sont celles qui, le matin, **à jeun**, sous prétexte de « tuer le ver » boivent la « goutte » avant de se rendre à leur travail;

Qui acceptent de « boire un verre » toutes les fois qu'un camarade les y invite, et qui, par politesse, le lui rendent;

Fig. 1. — **Chez le marchand de vin.** — A boire constamment, même sans s'enivrer jamais, on devient *alcoolique*.

Qui, après la tasse de café, boivent un petit verre d'eau-de-vie, puis la « rincette », puis la « surrincette »;

Qui ne peuvent faire une partie de cartes ou de billard, sans absorber du vin ou de l'eau-de-vie à petites gorgées, tout le temps que dure la partie (fig. 1);

Qui, chaque soir, sous prétexte de s'ouvrir l'appétit, absorbent la funeste liqueur appelée **absinthe**, ou de prétendus **apéritifs**, tels que vermouths, bitters, amers, etc.;

Qui vont passer leur soirée chez les marchands de **vin** ou dans les cafés, jouant et buvant **encore** et **toujours**.

RÉSUMÉ

1. L'*ivrognerie* conduit à l'**alcoolisme**.

2. L'alcoolisme est une terrible *maladie*.

3. On devient alcoolique en buvant *tous les jours* des liqueurs fortes, même à petites doses.

II. — BOISSONS SAINES

7. Qu'appelle-t-on *boissons saines ?*

On appelle **boissons saines** les boissons qui, prises en **quantités raisonnables**, ne nuisent pas à la santé.

8. *Quelles sont* les boissons saines ?

Les *boissons saines* sont l'**eau très pure**, le *vin naturel* mélangé d'eau, le *cidre*, le *poiré*, la *bière*.

9. Que pensez-vous de l'*eau très pure* comme boisson ?

Je pense que l'**eau très pure** est la seule boisson *nécessaire* à notre organisme.

10. Comment *obtient-on* les autres boissons saines ?

On obtient le vin, le cidre, le poiré par la **fermentation** du *jus sucré* du raisin (vin), des pommes (cidre), des poires (poiré).

Quant à la bière, on l'obtient par la **fermentation** d'une *infusion d'orge*, que l'on a aromatisée avec des *baies de houblon*.

11. Quel est le *résultat* de la fermentation ?

La **fermentation**, c'est-à-dire l'influence d'un **ferment**, transforme en **alcool** le *sucre* contenu dans le jus des fruits ou dans l'infusion d'orge.

12. Les boissons saines contiennent-elles toutes la même quantité d'alcool ?

Non. Les *vins ordinaires* contiennent de **6 à 15** °/₀ d'alcool.

Les *vins de liqueur* (Madère, Malaga, Marsala, Muscat) en contiennent jusqu'à **25** °/₀.

Les *bières* en contiennent de **2 à 10** °/₀.

Les *cidres* et *poirés* de **2 à 8** °/₀.

RÉSUMÉ

1. Les **boissons saines** sont l'eau très pure, le vin naturel mélangé d'eau, le cidre, le poiré, la bière.

2. L'eau très pure est la seule boisson nécessaire à notre organisation.

3. Les autres boissons saines contiennent en moyenne 5 à 6 °/₀ d'alcool.

III. — VIN DE RAISIN ET VINS ARTIFICIELS

a. — VIN DE RAISIN

13. Qu'est-ce qu'un *vin naturel ?*

Un **vin naturel** est un vin dans lequel il n'entre que du jus fermenté de **raisin.**

14. Quels sont les effets d'un *vin naturel* pris en excès?

Un *vin naturel* pris en excès donne une ivresse gaie, dont la répétition est **dangereuse** mais non **mortelle.**

15. S'ensuit-il qu'on ait raison de s'enivrer avec un vin naturel ?

Non :

1° Parce qu'on ne doit jamais boire **avec excès**.

2° Parce que l'ivresse, même gaie, nous **dégrade** et nous fait perdre la **raison**.

3° Parce que nous devons dépenser notre argent **utilement** et non dans un cabaret.

4° Parce que l'**ivresse habituelle** diminue nos *facultés* et nuit à notre *santé*.

5° Parce que l'ivresse habituelle conduit sûrement à la funeste maladie appelée **alcoolisme**.

b. — VINS ARTIFICIELS

16. N'existe-t-il que des vins naturels?

Non, on fabrique aussi des **vins artificiels**, c'est-à-dire des vins entièrement fabriqués, et dans lesquels il n'entre que très peu de raisin.

17. Comment procède-t-on ?

On prend un vin fortement coloré que l'on coupe d'eau.

Comme le vin est alors très faible, on lui donne de la **force** en y versant de l'**alcool industriel**, fait avec des *betteraves*, avec des *grains* ou avec des *pommes de terre*.

18. Quel *nom* donne-t-on à cette opération?

On l'appelle **vinage**.

19. Un tel vin se conserve-t-il?

Non. Pour le conserver et en rehausser la couleur on y ajoute du **plâtre** (sulfate de chaux).

20. Quel *nom* donne-t-on à cette seconde opération?

On l'appelle **plâtrage**.

21. Quels sont les effets des *vins artificiels* ?

Ils sont **redoutables**, car les alcools industriels renferment de **véritables poisons** qui occasionnent des *désordres organiques* très rapides.

22. Le plâtrage est-il inoffensif?

Non. Le **plâtrage** lui-même est *nuisible* à la santé[1].

RÉSUMÉ

1. Le vin naturel de **raisin** donne une ivresse gaie, mais non dangereuse.

2. Toutefois on ne doit jamais boire avec excès même du vin naturel : 1° parce qu'un excès est toujours blâmable ; 2° parce qu'on n'est pas toujours sûr que le vin est naturel ; 3° parce que l'ivrognerie conduit à l'alcoolisme.

3. On fabrique des vins *artificiels*.

4. Ces vins sont faits avec des **alcools industriels**, qui, tous, contiennent des poisons.

1. Le plâtrage est toléré par la loi seulement jusqu'à 2 grammes par litre.

IV. — ALCOOL DE FRUITS ET ALCOOLS INDUSTRIELS

a. — ALCOOL DE FRUITS

23. Comment *obtient-on* l'alcool de fruits ?

On obtient l'*alcool* de fruits par la **distillation du** jus sucré de ces fruits.

24. De quel appareil se sert-on pour opérer la distillation ?

Pour opérer la **distillation** on se sert d'un appareil nommé *alambic* (fig. 2).

25. Décrivez cet appareil.

Un alambic se compose d'une *chaudière* terminée par un tube en forme de serpent roulé, appelé *serpentin*.

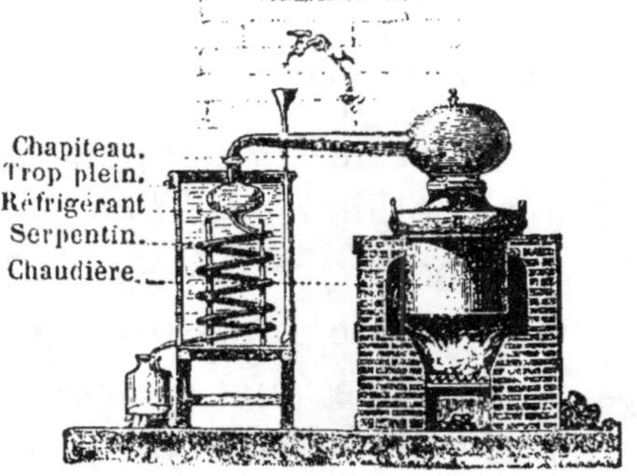

FIG. 2. — **Alambic.** — Les vapeurs d'alcool vont se condenser dans le serpentin froid (distillation).

On met dans la chaudière le liquide à distiller (du vin par exemple), et l'on plonge le serpentin dans un bain d'*eau froide*.

On chauffe la chaudière. Le liquide qu'elle contient dégage des vapeurs d'alcool qui vont se **condenser**[1] dans le serpentin froid.

Les vapeurs condensées sont de l'**alcool.**

1. *Condenser* se dit de la transformation d'une vapeur en liquide.

26. Quels sont les *liquides* que l'on distille pour obtenir de l'*alcool ?*

Les liquides que l'on distille pour obtenir de l'**alcool** sont :

1° Le *vin*, le *cidre* et le *poiré*.

2° Le *jus des fruits :* jus de cerises, de pommes, de baies de genièvre.

3° Les liquides provenant de la *lie* de vin, des *marcs* de raisin, de pommes ou de poires.

4° Le jus de *canne à sucre* ou les résidus.

5° La mélasse de *betterave*.

27. Quel nom donne-t-on aux différents alcools qui résultent de ces distillations ?

L'alcool de *vin* s'appelle **eau-de-vie** ou **cognac**.

L'alcool de *cidre* et de *poiré* est du **calvados**.

L'alcool de *cerises* est du **kirsch**.

L'alcool de *prunes* est du **couetche**.

L'alcool de *baies de genièvre* est du **genièvre**.

L'alcool de *lie* et de *marc* est de l'**eau-de-vie de marc**.

L'alcool de résidu de *canne à sucre* est du **rhum**.

b. — ALCOOLS INDUSTRIELS

28. Ne fait-on de l'alcool qu'avec les matières dont on vient de parler?

On fait aussi de l'alcool avec toutes les substances qui contiennent de la **fécule** ou **amidon**.

29. Comment s'y prend-on?

On commence par **transformer** la *fécule* ou *amidon* en **sucre**; puis on transforme le *sucre* en **alcool**.

30. Quel *nom* donne-t-on aux alcools ainsi obtenus?

On leur donne le nom d'**alcools d'industrie** ou **alcools industriels**.

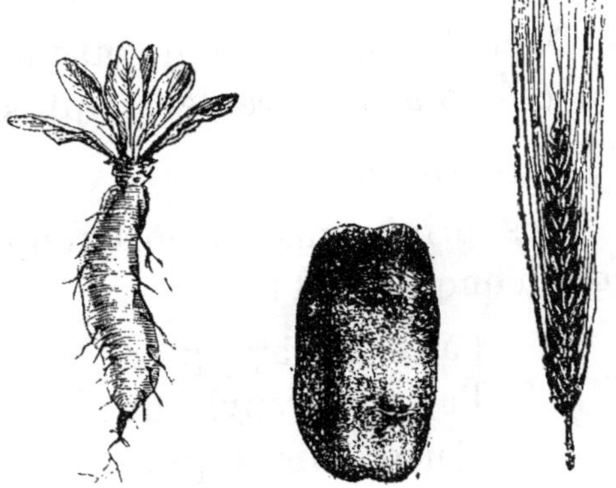

Fig. 3. — Les **alcools industriels** sont extraits de la betteravo, des pommes de terre et des grains.

31. De quelles *substances* tire-t-on principalement les alcools d'industrie?

On tire principalement les alcools d'industrie de la **betterave**, des **pommes de terre** et des **grains** (fig. 3).

RÉSUMÉ

1. On obtient l'**alcool de fruits** par la distillation du *jus sucré* de ces fruits.

2. On obtient les **alcools industriels** avec toutes les substances qui contiennent du *sucre* ou de la *fécule* ou *amidon*.

3. Les principales substances employées à la fabrication des alcools artificiels sont : la **betterave**, les **pommes de terre** et les **grains**.

V. — COMPOSITION DES ALCOOLS

32. Un alcool donné ne renferme-t-il qu'un seul alcool?

Non. Un alcool, qu'il soit un alcool de *fruits* ou un alcool *industriel*, renferme **plusieurs alcools.**

33. Quels sont ces alcools ?

Les principaux alcools renfermés dans un alcool quelconque sont :

l'alcool **éthylique**;
l'alcool **propylique**;
l'alcool **amylique**;
l'alcool **butylique.**

34. Tous ces alcools sont-ils *nuisibles ?*

Tous ces alcools sont **nuisibles**, mais ils ne le sont pas dans des proportions égales.

35. Quel est l'alcool *le moins nuisible ?*

L'alcool *le moins nuisible* est l'alcool **éthylique**, *ou esprit-de-vin*, qui forme la *majeure partie* des **alcools de fruits.**

36. Quel est l'alcool *le plus nuisible ?*

L'alcool le plus nuisible est l'alcool **amylique**, qui est contenu en abondance dans les **alcools d'industrie.**

37. Comment a-t-on pu prouver que l'alcool *amylique* est plus dangereux que l'alcool *éthylique ?*

On a pris deux chiens de même taille. On a injecté

dans les veines de l'un de l'alcool **éthylique**, et dans les veines de l'autre de l'alcool **amylique**.

Dans les deux cas, le chien est mort **empoisonné**, mais il a fallu, pour produire la mort, quatre fois plus d'alcool *éthylique* que d'alcool *amylique*.

38. Citez une autre expérience.

On a pris un animal appelé *cobaye* ou *cochon d'Inde* (fig. 4), et on a injecté dans ses veines de l'**alcool de raisin**. L'animal a donné les signes de l'ivresse, puis il s'est remis.

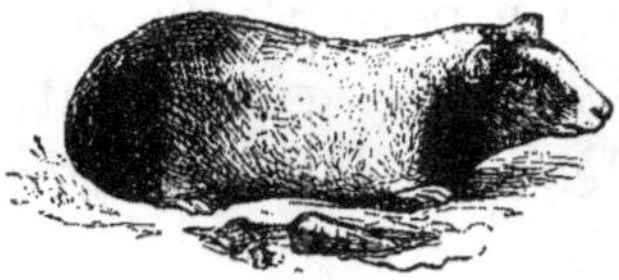

FIG. 4. — **Cobaye.** — Un peu plus gros qu'un rat.

On a pris un autre cobaye et on lui a injecté la même quantité d'**alcool d'industrie**. L'animal a été pris d'une *crise épileptique*, et il *est mort* quelques instants après.

39. Que concluez-vous de ces deux expériences ?

J'en conclus qu'il est *prudent* de ne pas boire d'eaux-de-vie faites avec des **alcools de fruits**, et qu'il est *funeste* de boire des eaux-de-vie faites avec des **alcools d'industrie**.

40. Quelles raisons avez-vous encore pour vous abstenir *tout à fait* de boire des liqueurs fortes ?

C'est que la plupart des *liqueurs fortes* sont faites avec des **alcools d'industrie**.

41. Ne trouve-t-on que *différentes sortes d'alcools* dans les alcools de fruits ou d'industrie ?

On y trouve aussi diverses *impuretés* dangereuses, notamment le **furfurol.**

42. Comment prouve-t-on que le *furfurol* est dangereux ?

A la dose de 3 grammes le *furfurol* **tue** un chien de moyenne taille.

43. Comment peut-on rendre moins dangereux *les alcools d'industrie ?*

On peut rendre *moins dangereux* les *alcools d'industrie* en les **rectifiant**, c'est-à-dire en leur faisant subir des *distillations successives.*

44. A quoi servent ces *distillations successives ?*

Par les distillations successives on *élimine* l'**alcool amylique** et les autres alcools nuisibles, et on réussit à ne conserver que l'**alcool éthylique**.

45. S'il en est ainsi pourquoi *ne rectifie-t-on pas* tous les alcools ?

Parce que les distillations successives **coûtent cher.**

46. A partir de quelle époque le commerce des *alcools d'industrie* s'est-il développé ?

Le commerce des *alcools d'industrie* s'est développé vers l'année 1855, au moment de l'apparition de l'**oïdium**, du **phylloxera** et du **mildew**, maladies de la vigne qui diminuaient l'importance de la récolte du **raisin.**

47. Aujourd'hui qu'on a pu combattre victorieusement ces maladies, pourquoi ne revient-on pas à l'alcool de raisin ?

Parce que l'alcool de *betteraves*, de *pommes de terre* ou de *grains* se fabrique à bien **meilleur compte** que l'alcool de raisin.

RÉSUMÉ

1. Un alcool quelconque renferme **plusieurs alcools.**

2. L'alcool le moins nuisible est l'alcool **éthylique.**

3. L'alcool le plus nuisible est l'alcool **amylique ;** c'est un véritable **poison.**

4. Les alcools renferment aussi diverses impuretés dangereuses.

5. La plupart des eaux-de-vie du commerce sont des eaux-de-vie faites avec des **alcools industriels.**

VI. — CE QU'ON FAIT AVEC LES ALCOOLS

48. Quelles liqueurs fortes prépare-t-on avec les alcools?

Avec les alcools on prépare les liqueurs suivantes :

l'**eau-de-vie** ;
les **apéritifs** (absinthe, amers, bitters).

a. — LES EAUX-DE-VIE.

49. Quelle est la composition de l'eau-de-vie?

L'eau-de-vie se compose d'environ moitié d'**alcool**, moitié d'**eau**, soit 55 °/₀ d'alcool, et 45 °/₀ d'eau.

50. Quelle est la composition du vin ?

Le vin se compose d'environ **10 °/₀ d'alcool** et de **90** °/₀ d'eau.

51. Pourquoi l'eau-de-vie est-elle plus dangereuse que le vin?

L'eau-de-vie est plus dangereuse que le vin, parce qu'elle contient environ **5 fois plus d'alcool.**

52. Dans quels cas l'eau-de-vie est-elle particulièrement dangereuse?

L'eau-de-vie est particulièrement dangereuse lorsqu'on la boit **à jeun**, dès le **réveil**, parce qu'alors l'estomac étant **vide**, l'absorption se fait **rapide** et **complète.**

53. Quelle *quantité* d'eau-de-vie suffit-il de prendre pour devenir alcoolique?

Pour devenir *alcoolique*, **deux ou trois petits verres** par jour suffisent.

54. Le petit verre d'eau-de-vie *après le repas* est-il utile?

Il vaut mieux s'en abstenir.

Pris **chaque jour**, après *le* ou *les* repas, il est incontestablement *nuisible.*

55. Quels sont les seuls *vrais* moyens pour favoriser la digestion?

Les seuls **vrais digestifs** sont : la *sobriété*, le séjour au *grand air*, l'*exercice*.

b. — LES APÉRITIFS.

56. Qu'appelle-t-on *apéritifs*?

On appelle **apéritifs** les liqueurs qu'on absorbe avant le repas sous **prétexte** de se donner de l'*appétit.*

57. Comment fabrique-t-on les apéritifs?

En faisant *macérer* ou *infuser* diverses **plantes** dans de l'alcool.

58. Quels sont les principaux apéritifs?

Les principaux apéritifs sont :

l'**absinthe**;
les **amers**;
les **bitters**.

59. Pourquoi les apéritifs sont-ils nuisibles à la santé?

Les apéritifs sont nuisibles à la santé :

1° Parce qu'on les absorbe *à jeun;*

2° Parce que la quantité d'alcool d'industrie qu'ils contiennent varie de **45** à **85** °/₀.

3° Parce qu'aux **éléments nuisibles** de l'*alcool* viennent s'ajouter les **éléments nuisibles** des *plantes* ou des *essences* employées pour les parfumer.

60. Quelle est la plus dangereuse de ces plantes?

C'est l'**absinthe**.

61. Pourquoi?

Parce que l'absinthe renferme un produit, l'**essence d'absinthe**, qui est un véritable *poison*.

62. Comment le prouve-t-on?

On a pu donner des accès d'**épilepsie** à un cheval rien qu'en lui injectant **un gramme** d'essence d'absinthe.

63. De quelle nature est l'ivresse produite par l'absinthe ?

L'ivresse produite par l'*absinthe* est **épouvantable.**

L'homme ivre d'absinthe est **méchant** et **violent.**

Il s'irrite sans motif, brise tout, sans savoir ce qu'il fait.

Les yeux lui sortent de la tête, son visage est crispé, ses gestes sont furibonds.

C'est un malade atteint dans son cerveau, dans ses nerfs, dans tout son corps.

64. Quels sont les meilleurs moyens à employer pour avoir bon appétit ?

Être **sobre**, être **tempérant**, travailler au **grand air** : voilà les meilleurs apéritifs.

RÉSUMÉ

1. Une **eau-de-vie** se compose d'environ moitié d'alcool et moitié d'eau.

2. L'eau-de-vie prise **à jeun** est particulièrement dangereuse.

3. Il est nuisible de prendre un petit verre d'eau-de-vie après les repas. Les **vrais digestifs** sont la sobriété, le séjour au grand air, l'exercice.

4. L'absinthe, les amers, les bitters sont nuisibles à la santé. Le plus dangereux des apéritifs est l'**absinthe**.

VII. — ACTION DE L'ALCOOL SUR LES FACULTÉS

65. Quelle est l'action de l'alcool sur l'*intelligence?*

L'*alcoolique* n'a plus les **idées nettes**; tout est **vague** et **flottant** dans son cerveau ; il ne peut plus **enchaîner** les idées les unes aux autres; il ne trouve plus les **mots** pour les **exprimer**.

Incapable de *raisonner*, il s'attache à une **idée fixe**, qu'il suit mécaniquement, y revenant **sans cesse**, répétant les mêmes mots.

66. Quelle est l'action de l'alcool sur la *mémoire ?*

L'alcoolique perd la **mémoire**; il ne se souvient plus des *promesses* qu'il a faites, ni des *ordres* qu'il a donnés ou reçus, ni des *engagements* qu'il a pris.

Il oublie de faire un travail comme on le lui demande; de le livrer au jour ou à l'heure convenue.

Si on lui donne un rendez-vous, il ne s'y trouve pas.

67. Quelle est l'action de l'alcool sur la *sensibilité ?*

L'alcoolique perd la **sensibilité**. D'*aimant* il devient *indifférent;* de *dévoué* il devient *égoïste.*

68. Quelle est l'action de l'alcool sur la *volonté ?*

L'alcoolique perd la **volonté**. Quel que désir qu'il en ait, il ne **peut pas résister** à sa funeste passion. C'est plus fort que lui : **il faut qu'il boive.**

69. L'affaiblissement de la *volonté* est-elle la seule cause des rechutes de l'ivrogne?

Non. L'ivrogne est aussi le **prisonnier** de ses organes; tout le tube digestif : bouche, langue, gorge, estomac, intestin, est **brûlé**, **détérioré**, **ulcéré**.

Les **muqueuses desséchées** appellent la sensation d'un liquide à la fois froid et fort.

L'alcoolique a toujours **soif** de liqueur; et, en s'abreuvant, il **aggrave** le mal dont il souffre.

70. Quelle est l'influence de l'alcool sur la dignité?

L'ivrogne n'a plus la notion du **devoir social.**

Il néglige de **soigner** sa chevelure, sa barbe, ses mains.

Sa coiffure, ses vêtements sont **en désordre**.

Fig. 5. — **Fureurs de l'alcoolique.**

Sa démarche est **incertaine** et **chancelante**; ses mouvements sont **désordonnés**; son regard est **fixe** et **hagard.**

Il est un sujet de douloureuse risée, à moins qu'il ne soit un sujet d'effroi.

71. Quelle est l'influence de l'alcool sur le caractère?

L'alcoolique, à l'état calme, est bizarre et fantasque. Il est surtout **irritable.** Ses colères tournent vite à la *fureur*. C'est alors que, privé de raison, il se livre aux pires violences.

RÉSUMÉ

1. L'alcoolique voit diminuer ses **facultés**. Son *intelligence* s'éteint, sa *mémoire* se perd, sa *sensibilité* diminue, sa *volonté* s'émousse.

2. Il perd la notion du *devoir social.*

3. Il devient fantasque et *irritable.*

4. Il a des *fureurs* soudaines.

VIII. — ACTION DE L'ALCOOL SUR LA SANTÉ.

a. — EFFETS GÉNÉRAUX.

72. Quels sont les *signes* de l'ivresse?

L'ivrogne sent tout tourner autour de lui. Il titube sur ses jambes. L'estomac, embarrassé, rejette les liquides qu'on lui a imposés. Alors seulement l'ivrogne se sent soulagé et s'endort.

73. Qu'arrive-t-il si les vomissements ne se produisent pas?

Si les vomissements ne se produisent pas, le sommeil est si profond que rien ne peut tirer l'ivrogne de sa torpeur. On dit alors qu'il est **ivre-mort**.

74. L'ivresse par l'*absinthe* n'est-elle pas marquée d'un signe spécial?

L'ivresse par l'*absinthe* est accompagnée de **mouvements convulsifs.**

75. Quelle est l'influence du *froid* sur l'homme ivre?

Le **froid** rend l'ivresse particulièrement dangereuse.

76. A quels signes reconnait-on qu'un homme est alcoolique?

A l'hésitation de sa parole, à la maladresse de ses mouvements, au **tremblement de sa main**, lorsqu'il étend le bras en écartant les doigts.

77. Des gens disent qu'un petit verre réchauffe et donne de la force. Est-ce vrai?

L'alcool procure en effet une sensation de chaleur et d'activité. Mais cette agréable impression dure peu. Bientôt, au bien-être passager, succède une impression de **lassitude** et d'**affaissement.**

78. Citez des exemples?

Le forgeron qui boit frappe le fer avec **moins de vigueur**.

Le menuisier, le serrurier, etc., qui boivent, travaillent avec **moins de soin**.

79. Comment s'exerce l'action funeste de l'alcool?

L'action funeste de l'alcool s'exerce par l'intermédiaire du **sang**.

b. — ACTION DE L'ALCOOL SUR LE SANG.

80. Qu'est-ce que le *sang* ?

Le **sang** est le **liquide nourricier** du corps.

81. Expliquez l'expression *liquide nourricier du corps.*

Le *sang*, en circulant incessamment dans les vaisseaux sanguins, apporte à nos *tissus* les éléments nécessaires à leur **reconstitution.**

82. Quelle est la *composition* du sang?

Le sang est formé d'un *liquide jaune* dans lequel nagent des milliards de **globules rouges**, qui lui donnent sa couleur apparente.

83. Comment l'alcool *altère-t-il* le sang?

L'alcool pénètre en **nature** et très rapidement dans le sang. Les poisons qu'il contient **altèrent les globules** d'une façon définitive.

84. Quelle est la conséquence de cette altération?

Le sang ne nourrit plus ou **nourrit mal** les *tissus*

des poumons, du cœur, du cerveau, des artères, des

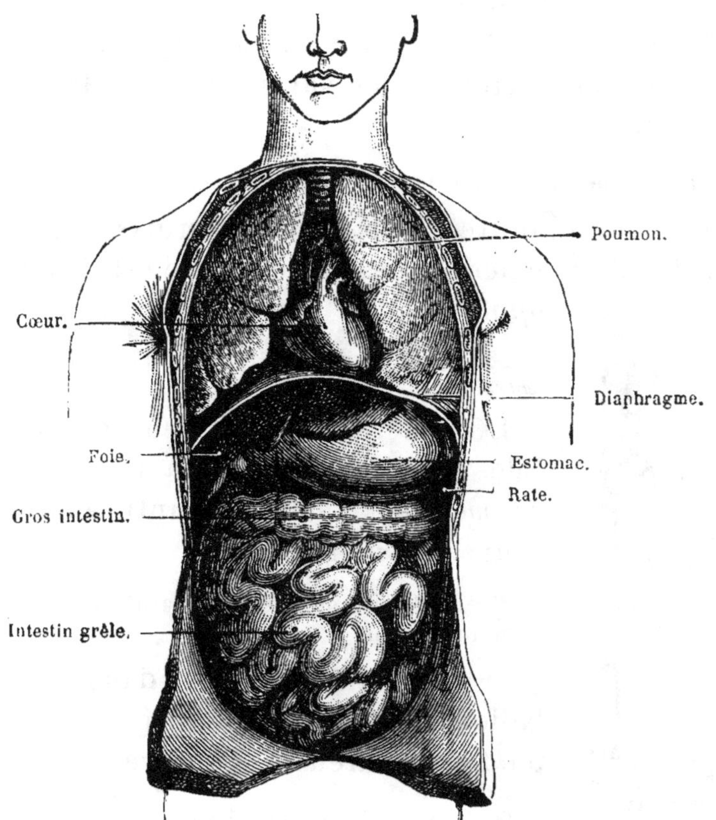

Fig. 6. — **Les principaux organes du corps humain.**

muscles, des nerfs : de là un **affaiblissement général**, des **malaises**, des **maladies** et la **mort**.

c. — ACTION DE L'ALCOOL SUR LE COEUR.

85. Quelle est la fonction du *cœur ?*

Le **cœur** (*fig*. 6) lance le sang par tout le corps.

86. Par l'intermédiaire de quels organes le cœur lance-t-il le sang dans tout le corps?

Le cœur lance le sang par tout le corps par l'intermédiaire des **artères**, des **vaisseaux capillaires** et des **veines**.

87. Quelle est l'action de l'alcool sur le *cœur ?*

Le cœur s'infiltre d'une sorte de **graisse** qui gêne son fonctionnement, aussi l'alcoolique est-il souvent *oppressé*.

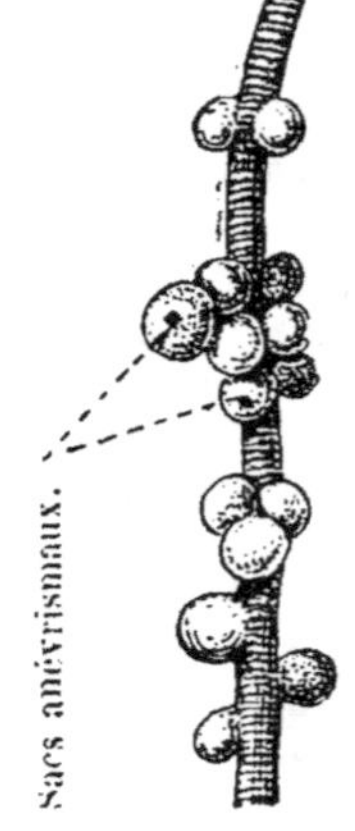

FIG. 7.— **Anévrisme** (grossi) **d'une artère.**

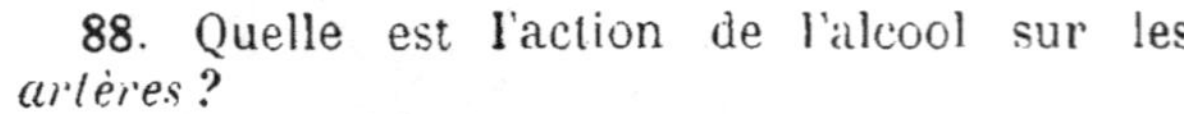

88. Quelle est l'action de l'alcool sur les *artères ?*

Les artères perdent leur résistance. Elles se dilatent sous la forme d'*anévrismes* (fig. 7) dont la **rupture** entraîne souvent la mort.

89. Expliquez par une comparaison la rupture d'un anévrisme.

Si on souffle très fort dans un petit ballon de caoutchouc, la paroi se distend démesurément et crève.

90. Sous quelle pression l'anévrisme se rompt-il ?

L'anévrisme se rompt sous une poussée trop forte du sang, par exemple lors d'un accès de colère.

d. — ACTION DE L'ALCOOL SUR LE CERVEAU.

91. Quelle est la fonction du *cerveau ?*

Le **cerveau** est l'organe central de la **pensée**, des *sensations* et des *mouvements*.

92. Par l'intermédiaire de quels organes le cerveau transmet-il les sensations et les mouvements?

Le cerveau transmet les sensations et les mouvements par l'intermédiaire de la **moelle épinière** et des **nerfs**.

93. Sur quel tissu les nerfs agissent-ils pour obtenir le mouvement?

Pour obtenir le **mouvement** les nerfs agissent sur le **tissu musculaire**, c'est-à-dire sur les *muscles* (ce qu'on appelle « la *viande* » en terme de boucherie).

94. Quelle est l'action de l'alcool sur le cerveau?

Le **cerveau** étant un des organes qui reçoivent le plus de sang, l'action de l'alcool y est **particulièrement nuisible**.

95. Citez les maladies cérébrales produites par l'alcool.

L'alcool produit *trois* maladies cérébrales :

L'**hémorrhagie cérébrale;**
Le **ramollissement cérébral** ;
L'**aliénation mentale** ou **folie**.

96. Que signifie lé mot *hémorrhagie ?*

Le mot **hémorrhagie** signifie *épanchement de sang*.

97. Comment les *épanchements de sang* se produisent-ils dans le cerveau ?

Les *épanchements de sang* dans le cerveau se produisent par la **rupture d'un anévrisme**.

L'anévrisme, en se rompant, laisse échapper le sang, ce qui amène la **destruction** d'une partie du cerveau.

98. Qu'appelle-t-on *ramollissement cérébral?*

On appelle **ramollissement cérébral** une altération d'une portion des tissus du cerveau, altération qui nuit à l'accomplissement d'une partie de ses fonctions.

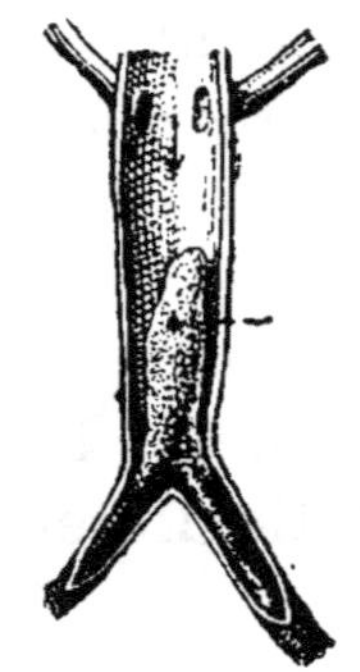

FIG. 8. — **Artère obstruée par un caillot de sang.**

99. Comment se produit cette altération?

Le sang de l'alcoolique *se coagule* facilement et forme *bouchon* (fig. 8).

Tant que le bouchon circule dans les grosses artères, il n'y a pas de mal; mais dès qu'il arrive dans les vaisseaux capillaires, il arrête la circulation du sang (embolie).

Dès lors la partie cérébrale obstruée n'est plus nourrie et **se détruit**.

100. Quelles sont les conséquences visibles de l'hémorrhagie cérébrale et du ramollissement cérébral?

Ce sont :

La **paralysie**, c'est-à-dire l'impossibilité de mouvoir tout un côté du corps (hémiplégie);

Le **gâtisme**, c'est-à-dire l'impossibilité de retenir ses matières ;

La **difficulté de s'exprimer**.

101. Comment la *paralysie* apparaît-elle?

La **paralysie** apparaît tantôt *brusquement* (attaque d'apoplexie), tantôt *lentement* et *progressivement*.

102. Citez quelques formes d'*aliénation mentale* ou *folie*.

Le **délire des grandeurs**;
Le **délire de la persécution**;
Le **delirium tremens**.

103. Quels sont les effets du *delirium tremens ?*

Dans les attaques de *delirium tremens* le malade **se tuerait contre les murs** si on ne lui mettait pas une « camisole de force » qui l'immobilise.

104. La folie est-elle fréquente chez les alcooliques ?

Plus du **tiers** des fous sont des alcooliques.

e. — ACTION DE L'ALCOOL SUR LES ORGANES DIGESTIFS.

105. Quels sont les *organes digestifs* ?

Les **organes digestifs** sont la *bouche*, l'*arrière-bouche*, l'*œsophage*, la *gorge*, l'*estomac*, les *intestins*, le *foie*, le *pancréas*.

106. Quelle est la *fonction* des organes digestifs?

Les organes digestifs transforment les **aliments** en une sorte de bouillie dont les **éléments** passent dans le **sang** à travers la paroi des intestins.

107. Quelle est l'action de l'alcool sur la *langue ?*

La **langue** devient rouge, bosselée. Elle perd le sens du **goût**.

108. Quelle est l'action de l'alcool sur la *gorge* ?

La **gorge** devient rouge, irritée.

109. Quelle est l'action de l'alcool sur l'*estomac* ?

L'**estomac** est *dilaté* chez les buveurs de vin et surtout de bière.

Il est *rétréci* chez les buveurs d'eau-de-vie.

La surface interne est *rouge*, *ulcérée*. Ses glandes (qui sécrètent le suc gastrique) sont *altérées*.

110. Quelle est l'action de l'alcool sur les *intestins* ?

La surface interne des **intestins**, comme celle de l'estomac, est rouge et ulcérée.

111. Quelles sont les *conséquences* des lésions de l'estomac et des intestins ?

L'alcoolique n'a pas d'appétit ; il s'alimente mal, il maigrit et **perd ses forces** peu à peu.

112. Quelle est l'action de l'alcool sur le *foie* ?

Le **foie** subit des *altérations profondes* qui le détruisent et suppriment ses fonctions, d'où la *jaunisse*, l'*hydropisie*.

f. — ACTION DE L'ALCOOL SUR L'APPAREIL RESPIRATOIRE.

113. Quels sont les *organes respiratoires* ?

Les **organes respiratoires** sont le *larynx*, d'où sort la voix, les *bronches*, les *poumons*.

114. Quelle est la *fonction* des organes respiratoires?

Les *organes respiratoires* **revivifient** le sang en le mettant en contact avec l'*oxygène* de l'air.

115. Quelle est l'action de l'alcool sur la *voix*?

La *voix* est **rauque, éraillée**, souvent **éteinte**.

116. Quelle est l'action de l'alcool sur les *bronches*?

L'alcoolique **tousse** fréquemment.

117. Quelle est l'action de l'alcool sur les *poumons*?

L'alcoolique est une victime fréquente de la **phtisie**.

g. — ACTION DE L'ALCOOL SUR DIFFÉRENTS ORGANES.

118. Quelle est l'action de l'alcool sur la *vue*?

La **vue** s'affaiblit.

119. Quelle est l'action de l'alcool sur l'*ouïe*?

Il provoque des bourdonnements. L'**ouïe** s'affaiblit.

120. Qu'est-ce que le *rein*?

Le **rein** est l'organe sécréteur de l'*urine*.

121. Que *contient* l'urine?

L'**urine** contient la plus grande partie des *déchets* (poisons ou autres) résultant de la nutrition de nos tissus.

122. Qu'arrive-t-il quand le rein est malade?

Les déchets de la nutrition **ne sont pas éliminés**.

Il en résulte à la longue une **décomposition** du sang (albuminurie, hydropisie).

RÉSUMÉ

1. L'alcool empoisonne le *sang* et le rend impropre à nourrir les tissus.

2. Le *cœur* s'infiltre de graisse.

3. Les *artères* perdent leur résistance.

4. Dans le *cerveau*, l'alcool produit l'hémorrhagie cérébrale, le ramollissement cérébral, l'aliénation mentale.

5. Il produit aussi la paralysie et le gâtisme.

6. Les *organes digestifs* sont altérés et ulcérés.

7. Les *organes respiratoires* fonctionnent mal.

8. Les déchets de la *nutrition* ne sont plus éliminés.

IX. — INFLUENCE DE L'ALCOOLISME SUR LE NOMBRE ET LA GRAVITÉ DES MALADIES

123. Quelle est l'influence de l'alcoolisme sur la *fréquence* des maladies?

L'alcoolisme **prédispose** à toutes les maladies.

124. Pourquoi?

Parce que la *résistance vitale* est **affaiblie** chez l'alcoolique.

125. Prouvez-le en ce qui concerne le *froid.*

L'alcoolique, plus sensible au froid, est plus que l'homme sobre sujet aux **pleurésies**, aux **pneumonies, aux rhumatismes.**

126. Montrez les *prédispositions* de l'alcoolique pour les *maladies infectieuses.*

Les premières victimes du **choléra**, de la **fièvre typhoïde**, de la **phtisie**, sont les *alcooliques.*

127. Qu'arrive-t-il quand un alcoolique est *malade ?*

Sa guérison est **plus longue**.

128. Qu'arrive-t-il quand un alcoolique est *blessé* ou *opéré ?*

La blessure ou l'opération **se compliquent** d'accidents secondaires.

129. Quelle est l'influence de l'alcoolisme sur la *longévité ?*

L'alcoolique, à 40 ans, est usé comme un homme de 60 ans.

130. Ne voit-on pas des *exceptions* à cette règle?

Oui. Les gens fortement constitués résistent plus

Fig. 9. — Homme sobre.

Fig. 10. — Le même, s'il s'était adonné à la boisson.

longtemps, surtout s'ils travaillent *au grand air;* mais ils n'en **compromettent** pas moins leur *santé*.

RÉSUMÉ

1. L'alcoolisme prédispose aux *maladies*.

2. Les premières victimes des *maladies infectieuses* sont des alcooliques.

3. La guérison est plus *lente*.

4. La vie est plus *courte*.

5. Les exceptions ne sont qu'apparentes.

X. — HÉRÉDITÉ ALCOOLIQUE

131. Que signifie l'expression *hérédité alcoolique?*

Elle signifie que les enfants **héritent** des *maladies* de leurs parents comme ils héritent de leurs biens.

132. Quels sont les conséquences fréquentes de l'hérédité alcoolique?

Les conséquences fréquentes de l'hérédité alcoolique sont :

La **dipsomanie**, c'est-à-dire une *impulsion à boire* dès le jeune âge.

Les **convulsions**, qui sont une maladie du *système nerveux*.

L'**épilepsie**, autre maladie du système nerveux.

La **méningite**, autre maladie du système nerveux.

La **nervosité**, la **faiblesse d'esprit**, l'**imbécillité**, l'**idiotie**, autres maladies du système nerveux.

La **surdi-mutité**, ce qui veut dire être sourd et muet.

RÉSUMÉ

1. L'*hérédité alcoolique* se traduit par les convulsions, l'épilepsie, la méningite, l'idiotie.

XI. — ACTION SOCIALE DE L'ALCOOL

133. Quelle est l'influence de l'ivrognerie sur la *misère*.

L'ivrognerie engendre la **misère**, parce qu'elle enlève à l'ouvrier habile sa *sûreté* de main ; au manœuvre, sa *force ;* à tous la *régularité* de la vie.

134. Quelle est parfois la somme laissée au cabaret par l'ouvrier ?

Dans certains départements, notamment dans le Nord-Ouest, l'ouvrier laisse au cabaret la *moitié* de son salaire.

FIG. 11. — La vie de famille.

135. Que pensez-vous de l'homme qui dépense ainsi son argent ?

Je trouve qu'il est **criminel**.

136. Pourquoi ?

Parce que le devoir de tout **honnête homme** est, non seulement de *nourrir* sa femme et ses enfants, mais aussi de les *rendre heureux*.

137. Lamennais a dit : « Savez-vous ce que boit cet homme dans son verre qui vacille en sa main tremblante d'ivresse ? » Quelle réponse terrible fait-il à cette question ?

Lamennais répond : Il boit les **larmes**, le **sang**, la **vie** de sa femme et de ses enfants.

138. Quelle est l'influence de l'alcoolisme sur la *criminalité ?*

La *moitié* et même les *trois quarts* des criminels sont des **buveurs d'alcool**.

139. Quelle est l'existence la plus *consolante* et la plus enviable?

L'existence la plus *consolante* et la plus *enviable* est la **vie de famille**.

RÉSUMÉ

1. L'ivrognerie engendre la *misère*.

2. L'ivrogne rend sa famille *malheureuse*.

3. La moitié des crimiuels sont des *buveurs d'alcool*.

XII. — MOYENS D'ÉVITER L'ALCOOLISME

140. Pourquoi trouve-t-on tant de gens qui *aiment* l'eau-de-vie ou l'absinthe?

Parce que les fabricants savent donner un goût **agréable** à ces liqueurs, et qu'ils ne les vendent pas cher.

Mais surtout parce que le fait d'avoir bu d'abord par *politesse*, puis par *goût*, crée un **besoin factice, tyrannique, irrésistible**.

141. Quelle remarque a-t-on faite à ce propos?

On a remarqué que le prix de toutes choses a augmenté, sauf le prix du « petit verre ».

142. D'où cela vient-il?

Cela vient de ce qu'on tire l'eau-de-vie de matières **peu coûteuses :** résidus de la fabrication du sucre, grains avariés, pommes de terre, etc.

143. Quel est le *seul moyen* de se garantir de l'alcoolisme ?

C'est de fuir l'alcool **comme on fuit la peste.**

Si l'on succombe, de s'imposer d'en boire **le moins possible**, surtout à jeun.

De **s'entraîner** à aimer l'*eau pure*, l'*eau rougie*, le *cidre*, la *bière*, le *café* étendu d'eau.

144. Quel sont les conséquences du premier petit verre ?

Le premier petit verre en appelle un **second.**

Le *second* en appelle un **troisième.**

Le *troisième* en appelle un **quatrième.**

Et ainsi de suite. Qui a bu boira.

145. Que pensez-vous des parents qui donnent à leurs enfants un morceau de sucre imbibé d'eau-de-vie ?

Je pense qu'ils commettent une **imprudence grave**, parce que, ainsi présentée, l'eau-de-vie est agréable et que l'enfant **y prend goût.**

146. Que pensez-vous des gens qui ne boivent que de l'*eau* pure et saine ?

Je pense que ce sont des **sages.**

147. Quel est le meilleur repas du matin ?

Une **bonne soupe.**

Du **pain** et du **fromage.**

Un verre d'**eau.**

RÉSUMÉ

1. L'usage du « petit verre » crée un *besoin factice* et tyrannique.

2. Le « petit verre » est la seule marchandise dont le prix n'ait pas augmenté.

3. Fuyons l'alcool comme la *peste.*

4. *Prenons goût* aux boissons saines.

5. Le matin, absorbons une *bonne soupe.*

SUJETS DE RÉDACTION

1. Ce que c'est que l'alcoolisme. — Sommaire. — 1. Définition de l'alcoolisme : empoisonnement de l'organisme, court et rapide (ivresse) ou lent et persistant (alcoolisme proprement dit). — 2. Action des doses fortes mais espacées, des doses faibles mais quotidiennes. — 3. Alcoolisme et ivrognerie. — 4. Ignorance du danger.

2. La route de l'alcoolisme. — L'imitation. — Sommaire. — 1 Fréquence de l'imitation, ses formes. — 2. Imitation voulue : faire l'homme. — 3. Le goût de beaucoup de boissons alcooliques est d'abord peu agréable. — 4. Imitation inconsciente.

3. La route de l'alcoolisme. — Le coup du matin. — Sommaire. — 1. Coup du matin particulièrement dangereux. — 2. Absorption rapide par l'estomac vide. — 3. D'un petit verre on passe à plusieurs petits verres. — 4. Aliments à prendre au lever.

4. Les Boissons. — Boissons naturelles et boissons artificielles. — Sommaire. — 1. Définition et variétés. — 2. Boissons naturelles : eau et lait, aromatiques, fermentées. — 4. Boissons distillées ; leur danger.

5. Les boissons fermentées. — Sommaire. — 1. Définition des boissons fermentées. — 2. Fabrication du vin, du cidre, du poiré, de la bière. — 3. Conditions dans lesquelles elles sont des boissons saines. — 4. Quantité moyenne de ces boissons qu'on peut boire sans inconvénient.

6. Falsification des boissons fermentées. — Sommaire. — 1. Adjonction d'eau dans le vin, le cidre, le poiré. — 2. Mouillage compliqué de vinage. — 3. Plâtrage, son but, ses dangers.

7. Boissons distillées. — Distillation. — Sommaire. — 1. Définition. — 2. Description de la distillation. — 3. Principe de la distillation. — 4. Appareil dans lequel on l'opère.

8. Origine des boissons distillées. — Sommaire. — 1. Les boissons distillées ont deux origines. — 2. Alcools de fruits. — 3. Alcools d'industrie. — 4. Enorme production d'alcools d'industrie.

9. Composition des alcools. — Sommaire. — 1. L'alcool commercial est formé de plusieurs alcools chimiques. — 2. Proportion relative des alcools suivant l'origine. — 3. Possibilité de séparer l'alcool éthylique des autres alcools. — 4. Prix élevé des rectifications.

10. Expérience démontrant la toxicité plus grande des alcools d'industrie. — Sommaire. — 1. Expériences très simples montrant l'action sur les chiens des alcools éthyliques et amyliques. — 2. Action de ces alcools sur les cochons d'Inde. — 3. Action de l'alcool d'industrie. — 4. Production comparative des alcools de vin et des alcools d'industrie.

11. Prix de revient de l'eau-de-vie de vin. — SOMMAIRE. — 1. Pourquoi ne distille-t-on plus de vin? — 2. Prix moyen du vin. — 3. Quantité d'alcool qu'on retire du vin. Droits perçus par l'État, les villes. — 4. Prix de revient de l'alcool de vin.

12. Prix de revient de l'eau-de-vie industrielle. — SOMMAIRE. — 1. Production limitée de l'eau-de-vie de vin. — 2. Production illimitée de l'eau-de-vie industrielle. — 3. Quantité d'eau-de-vie donnée par cent kilog. de grains, de pomme de terre, de betterave. — 4. Valeur de la matière première suivant qu'il s'agit d'eau-de-vie de vin ou d'eau-de-vie industrielle.

13. Alcool éthylique et alcool de vin. — SOMMAIRE. — 1. Confusion entre l'alcool éthylique et l'alcool de vin. — 2. Différences qui existent entre ces deux alcools. — 3. L'alcool de marc. — 4. Toxicité de l'eau-de-vie de propriétaire.

14. Action comparée de l'eau-de-vie et du vin. — SOMMAIRE. — 1. La concentration de l'eau-de-vie rend sa nocivité plus intense. — 2. Son absorption est plus rapide que celle du vin. — 3. L'alcool de vin est moins nuisible que les eaux-de-vie.

15. Impuretés-poisons des alcools. — SOMMAIRE. — 1. Impuretés-poisons existant *naturellement* dans l'alcool : éthers et aldéhyde. — 2. Pouvoir toxique de l'aldéhyde acétique et de l'aldéhyde furfurol. — 3. Impuretés-poisons ajoutées *artificiellement* à l'alcool ou bouquets. — 4. Essence de Cognac. — 5. Son pouvoir toxique. — 6. Ces poisons sont imposés par le goût de certains consommateurs.

16. Les apéritifs. — Leur composition, leurs dangers. — SOMMAIRE. — 1. Définition. — 2. Liqueurs apéritives les plus connues. — 3. Pourquoi sont-elles des boissons particulièrement dangereuses. — 4. Proportion d'eau-de-vie contenue dans ces boissons.

17. Les apéritifs. — Moyens employés pour leur donner un goût spécial. — SOMMAIRE. — 1. Abandon du procédé lent des macérations de plantes pour aromatiser les apéritifs. — 2. Emploi d'essences chimiques. — 3. Substances employées pour aromatiser le vermouth et le bitter et résultats des expériences faites sur les animaux. — 4. Mot de Trousseau.

18. Apéritifs et médecins. — SOMMAIRE. — 1. Les apéritifs ordonnés par les médecins. — 2. Leur peu d'influence sur l'usage des liqueurs dites apéritives. — 3. Faible quantité à prendre des teintures médicinales. — 4. Leur faible proportion par rapport à la quantité de liqueurs absorbées.

19. L'absinthe. — Sa composition démontre son danger. — SOMMAIRE. — 1. Double danger de l'absinthe. — 2. Preuve mathématique de la mauvaise qualité de l'alcool employé pour cette liqueur. — 3. Expérience montrant l'extrême danger de l'essence d'absinthe. — 4. Effets comparés de l'acide prussique et de l'essence d'absinthe.

20. L'absinthe. — Principaux signes de l'empoisonnement par l'absinthe. — SOMMAIRE. — 1. Vertiges, hallucinations, épilepsie, douleurs. — 2. Tremblement, mouvements convulsifs, paralysie. — 3. Brutalité. — 4. Dose ordinaire pour l'empoisonnement. — 5. Dose chez les prédisposés.

21. Attaque d'épilepsie chez un buveur d'absinthe. — SOMMAIRE. — 1. Bonne santé avant l'excès d'absinthe. — 2. Premiers troubles, cauchemars, délire, idées de suicide. — 3. Hallucinations. — 4. Première phase de l'attaque d'épilepsie. — 5. Deuxième phase. — 6. Troisième phase. — 7. Avenir du buveur d'absinthe.

22. Portrait de l'alcoolique. — SOMMAIRE. — 1. Aspect extérieur ; perte de tout sentiment humain. — 2. Malpropreté. — 3. Paresse et inaptitude au travail. — 4. Égoïsme et passion de la destruction. — 5. Action facile des mauvais conseils.

23. La perte de la volonté. — SOMMAIRE. — 1. L'heure de tuer le ver. — 2. Le mauvais conseil. — 3. La perte de la volonté. — 4. L'oubli des promesses. — 5. Un petit verre entraîne l'autre.

24. Altération du sang, du cœur et des vaisseaux. — SOMMAIRE. — 1. Action de l'alcool sur le sang. — 2. Sur le cœur (surcharge graisseuse). — 3. Sur les artères en général. — 4. Sur les artères cérébrales.

25. Maladies de l'appareil digestif. — SOMMAIRE. — 1. Lésion du tube digestif. — 2. Altérations de la langue et de la gorge. — 3. De l'estomac. — 4. De l'intestin. — 5. Du foie.

26. Maladies de l'appareil respiratoire, des reins, des sens, de la peau. — SOMMAIRE. — 1. Lésions du larynx, des bronches, des poumons (phtisie). — 2. Lésions des reins. — 3. Lésions de l'oreille et de l'œil. — 4. Lésions de la peau.

27. Maladies du système nerveux. — SOMMAIRE. — 1. Le cerveau est fréquemment altéré par d'autres maladies que l'hémorrhagie et le ramollissement cérébral. — 2. Troubles de la sensibilité et du mouvement. — 3. Troubles des facultés mentales : forme légère (mémoire, sommeil). — 4. Forme moyenne (hallucinations, insomnie). — 5. Forme grave (folie).

28. Delirium tremens suraigu. — SOMMAIRE. — 1. Agitation incessante. — 2. État général grave. — 3. Hallucinations. — 4. Volubilité. — 5. Mouvements pour écouter ou saisir. — 6. Possibilité du rappel momentané de la raison.

29. Le petit alcoolisme chronique ou l'alcoolisme des gens aisés. — SOMMAIRE. — 1. Définition du petit alcoolisme, conditions dans lesquelles on le contracte. — 2. Erreur dangereuse commise par les buveurs d'apéritifs et de pousse-café. — 3. Action sur les organes.

30. Influence de la vie sédentaire sur l'alcoolisme. — SOMMAIRE. — 1. Influence du genre de vie sur l'alcoolisme. — 2. L'ouvrier au grand air. — 3. L'homme sédentaire. — 4. Le paysan. — 5. Eau-de-vie d'industric et eau-de-vie de marc. — 6. Cessation d'activité. — 7. Action sur les maladies dues à l'absence d'exercice.

31. Mort subite par l'alcool. — SOMMAIRE. — 1. L'ivresse après un excès de vin n'a pas en général de conséquence grave. — 2. L'ivresse après l'absorption d'une grande quantité d'eau-de-vie ou d'absinthe peut entraîner la mort subite. — 3. Exemple tiré d'un fait-divers de journal.

32. Gravité donnée par l'alcoolisme à toutes les maladies. — SOMMAIRE. — 1. Prédisposition à toutes les maladies, notamment aux maladies contagieuses et à la fièvre intermittente. — 2. Augmentation de la gravité. — 3. Prolongation de la maladie. — 4. Possibilité de délire furieux.

33. Hérédité alcoolique. — SOMMAIRE. — 1. L'alcoolisme produit la dégénérescence des enfants. — 2. Signes de la dégénérescence : faiblesse, convulsions, méningite. — 3. Surdi-mutité, strabisme. — 4. Malformations du crâne. — 5. Absence d'autorité sur soi-même.

34. Hérédité alcoolique (*suite*). — SOMMAIRE. — 1. Absence de suite dans les idées (déséquilibrés). — 2. Epilepsie, idiotie, démence. — 3. Impulsion vers le vagabondage, le crime et la dipsomanie. — 4. Abstinence obligatoire pour l'enfant d'alcoolique.

35. Perte des bons sentiments. — SOMMAIRE. — 1. Oubli des devoirs et brutalité sans prétexte. — 2. Cruauté envers les faibles. — 3. Actes odieux d'alcoolique. — 4. Statistique des bagnes.

36. La faillite. — SOMMAIRE. — 1. La chute des maisons de commerce. — 2. L'abandon du travail par les ouvriers alcooliques. — 3. « Ici on n'embauche pas. »

37. Le métier le veut. — SOMMAIRE. — 1. Le cabaret centre des affaires. — 2. La meilleure affaire c'est la santé. — 3. Action de l'alcool sur la finesse du goût. — 4. Infériorité dans les discussions d'affaires. — 5. Possibilité d'autres boissons que les boissons alcooliques.

38. Comment se préserve-t-on de l'alcoolisme ? — SOMMAIRE. — 1. Imprudence de certains parents. — 2. L'abstention de boissons distillées doit être absolue pour les enfants. — 3. Ne pas compter sur le lendemain pour s'arrêter dans la voie de l'alcoolisme.

39. On peut faire mentir le dicton « Qui a bu boira ! » — SOMMAIRE. — 1. L'alcool ne donne qu'une excitation de courte durée. — 2. C'est une lettre de change perpétuelle menant à la banqueroute. — 3. Possibilité de se guérir. — 4. Nourriture de l'ancien alcoolique.

40. Exemples de problèmes d'anti-alcoolisme.

TABLE DES MATIÈRES

Paris. — Imp. E. CAPIOMONT et Cie, rue des Poitevins, 6.

www.ingramcontent.com/pod-product-compliance
Lightning Source LLC
LaVergne TN
LVHW012016160826
845678LV00002B/872

* 9 7 8 2 3 2 9 6 6 8 2 4 6 *